قدّيْش حقّ السّمك؟

إبْراهيم السّلّوم

How Much Is the Fish?

Levantine Arabic Reader – Book 11
(Lebanese Arabic)

by Ibrahim Al-Salloum

ISBN: 978-1-949650-54-9

Written by Ibrahim Al-Salloum

Edited by Ahmed Younis and Matthew Aldrich

English translation by Ibrahim Al-Salloum and Matthew Aldrich

Cover art by Duc-Minh Vu

Audio by Ibrahim Al-Salloum

website: www.lingualism.com

email: contact@lingualism.com

Introduction

The **Levantine Arabic Readers** series aims to provide learners with much-needed exposure to authentic language. The fifteen books in the series are at a similar level (B1-B2) and can be read in any order. The stories are a fun and flexible tool for building vocabulary, improving language skills, and developing overall fluency. **This book is specifically Lebanese Arabic.**

The main text is presented on even-numbered pages with tashkeel (diacritics) to aid in reading, while parallel English translations on odd-numbered pages are there to help you better understand new words and idioms. A second version of the text is given at the back of the book, without the distraction of tashkeel and translations, for those who are up to the challenge.

Visit the **Levantine Arabic Readers** hub at **www.lingualism.com/lar**, where you can find:

- **free accompanying audio** to download or stream (at variable playback rates)
- a **guide** to the Lingualism orthographic (spelling and tashkeel) system
- a **blog** with tips on using our Levantine Arabic readers to learn effectively

قدّيْش حقّ السّمك؟

مْحمّد، رِجّال فقير بْيِتّكِل على حالو، شابّ عُمْرو ٣٣ سِنِة مِن شباب طْرابْلُس، العاصْمِة التّانْيِة للبْنان. هالمدينِة يَلّي على ساحِل لبْنان، كلّْها حركِة ونشاط، ويَلّي فيها كْتير شباب مِتْل مْحمّد. بيعيشوا كِلّ يوْم بْيَوْمو، ناطْرين فُرْصِة العِمِر حتّى يِخْلصوا مِن حَياةْ الذِّلّ والفقِر.

مْحمّد بيعيش بِبيْت صْغير هُوّ ومرْتو ووْلادو الاتْنين. بْيِشْتِغل بِكِلّ شي، ما ضروري يْكون بْيِفْهم بِكِلّ شي بْيِشْتِغْلو، بْيِتْعلّم. المُهِمّ إنّو يِشْتِغِل وياخُد مصاري لَيْطعْمي وْلادو.

"نِحْنا لأيمت بدِّنا نْضلّ عايْشين هيْك يا مْحمّد؟ كِلّ العالم صار عِنْدها بْيوت وسِيّارات ونِحْنا إساتْنا عم نْعاني لناكُل." مرْتو لمْحمّد بْتِقِلّو.

"الله بيعين. إلّا ما تِفْرج وتِتْحسّن أحْوالْنا. لازِم نُصْبُر. هيْك الدِّني، فيها الغني والفقير، المتْعلّم والجاهل."

"إنْتَ الحقّ عليْك. إجِت لعنْدك كذا فُرْصة كان فيك تِعْمُل فيها مصاري كْتير، بسّ إنْتَ رْفضِت."

هَيْدول الفِرص يَلّي عم تِحْكي عنْهُم كانوا كِلّْهُم فِرص غِشّ وكِذِب واحْتِيال، وإنْتي بْتعرْفي إنّو أنا ما بْغِشّ وَلا بْكذِّب لَوْ شو ما صار."

How Much Is the Fish?

Muhammad, a poor independent man, is a 33-year-old man from Tripoli–the second 'capital' of Lebanon. This city is on the coast of Lebanon, is full of movement and activity, and has many young people like Muhammad. They live one day at a time, waiting for a life opportunity in order to rid themselves of a life of humiliation and poverty.

Muhammad lives in a small house with his wife and his two sons. He does any kind of work. It's not necessary that he understands everything related to the jobs; he can learn. What matters is that he works and gets money to feed his children.

"How long are we going to live like this, Muhammad? Everyone has houses and cars, and we still suffer even to eat," Muhammad's wife says to him.

"God will help us. Good things will come, and our conditions will improve. We must be patient. This is how the world is. There are the rich and the poor, the educated and the uneducated."

"You are the one to blame. You had many opportunities in which you could earn a lot of money, but you refused."

"These opportunities that are you are talking about, they were all opportunities for cheating, lies, and fraud. And you know that I don't cheat and lie no matter what happens."

"أيْ لكان ما رح تِتْحسّن أحْوالْنا أبداً إذا بِدّك تْضلّ هيْك."

"الله ما بْيِنْسانا. إنْتِ بسّ اِصْبري. كِلّ شي رح يِتْحسّن."

هَيْدي هيِّ المْحادثِة اليَوْمية يَلّي بْتِصير بينْ مْحمّد ومرْتو. مْحمّد، يَلّي شْتغل كِلّ شي بْحَياتو، ناطِر فُرْصة حقيقية يِشْتِغِل فيها بْكرامِة مِن دون ما يْكون مطْلوب مِنّو يِكْذُب أَوْ يْغِشّ.

مْحمّد شْتغل دهّان، كان دايْماً مطْلوب مِنّو يِشْتِري عِلب الدّْهان ويِدْهن البِيوت. طبْعاً كان يِشْتِغِل مِتِل ما بِدّو مْعلّمو بِالشّْغِل. كان دايْماً المْعلّم ياخُد مصاري مْن الزّبون، ويِبْعتو لمْحمّد يِشْتِري الغْراض مْن السّوق ويْطْلُب مِنّو يِسْرُق شْوَيِّة غْراض كرْمال يِسْتفيدوا مِنْهُم بِالمِسْتقْبل. مْحمّد طبْعاً كان يِرْفُض.

لمرّة مْن المرّات، المْعلّم بيعْصب مْن مْحمّد وبيقِلّو: "إنْتَ لأيمْت بِدّك تْضلّ هيْك عم تِقْطع بْرِزْقِتْنا؟!"

"أنا ما بْغِشّ يا مْعلِّم، يَلّي بيغِشّ بِدّو يِجي يوْم وحدا يْغِشّو."

"إنْتَ فقير. ما معك تاكُل وعم تِحْكي هالحكي؟ بِدّك تْموت مْن الجوع إنْتَ ومرْتك ووْلادك شي؟!"

"Okay, then our situation will never improve if you keep on this way."

"God does not forget us. You just be patient. Everything will improve."

This is the daily conversation that happens between Muhammad and his wife. Muhammad, who had done all kinds of work in his life, is looking for a real opportunity to work with dignity and without being required to lie and cheat.

Muhammad worked as a painter, and he was always asked to buy cans of paint and paint houses. Of course, he would work the way his boss wanted him to. The boss would always get money from the client, send Muhammad to buy the materials, and ask him to steal some of the materials so that they could benefit from them in the future. Muhammad, of course, would always refuse.

One time, the boss got angry at Muhammad and told him, "How long are you going to keep on making us lose money?!"

"I do not cheat, boss. For one who cheats, a day will come when someone cheats him."

"You are poor. You don't have money to eat, and you're talking like this? You want to starve to death, you, your wife, and your children?!"

"أنا فقير ما معي كْتير مصاري صحّ هالحكي. بسّ أنا غني بْأخْلاقي وبِحترِم حالي. حتّى لَوْ بِدّي موْت مْن الجوع يا مْعلّم، ما بِقْبل إشْتِغِل هيْك."

"أيْ لكان خلّي أخْلاقك واِحْترامك لحالك ينْفعوك. إنْتَ مرْفود."

طبْعاً مْحمّد صار متْعوّد إنّو يترْك الشّغِل مِن وَرا هالأسْباب. هَيْدي مِنْها أوّل مرّة.

بيقرِّر مْحمّد يوْم مْن الإيّام إنّو يفْتح كِشِك صْغير يْبيع فيهْ أكِل. لأِنّو بْيَعْرِف إنّو إذا بِدّو يِشْتِغِل عنْد مْعلّم، رح يرْجع لنفْس المشكْلِة. مشكْلِة السّرْقة والكذِب يَلّي بْعمْرو ما قبِل يعْملْهم.

بيبلّش مْحمّد شِغْلو وبْيِفْتح الكِشِك بعْد تعب كْتير لحتّى قدِر جمّع مصاري. بْيِنْزل بيحُطّ الكِشِك على رْصيف تحت بَيْتو، وبيبلّش شِغِل. لأوّل مرّة بْحَياتو بيحِسّ إنّو عم يِشْتِغِل من دون حاجِة إنّو يكْذُب أَوْ يْغِشّ. بسّ المصاري يَلّي عم ياخِدْهُم ما بيكفّوا كرْمال يْطعْمي عَيْلْتو.

بسّ مْحمّد بيقول بَيْنو وبيْن حالو إنّو هَيْدا الشّغِل أشْرف بِكْتير مِن يَلّي شْتغلو قبِل. وبيضلّ متْمسّك بأمل إنّو يْلاقي فُرْصة أحْسن من هالشّغِل لحتّى يْعيش حَياةْ حِلْوة وجَيْدِة مع مرْتو وولادو.

"I am poor. I don't have a lot of money. This is true. But I'm rich in morals, and I respect myself. Even if I am going to starve to death, boss, I don "t agree to work this way."

"Okay, then let your morals and respect for yourself benefit you. You're fired."

Of course, Muhammad had become used to leaving jobs for this reason. This was not the first time.

One day, Muhammad decided to open a small kiosk in which he sells food because he knew that if he wanted to work with a boss, he would have the same problem again.–the problem of being asked to steal and lie, which he never agrees to do.

Muhammad starts his own business and opens the kiosk after a lot of effort trying to save up the needed money to open the kiosk. He puts the kiosk on the sidewalk downstairs from his apartment and starts working. For the first time in his life, he feels that he is working without the need to lie and cheat. But the money that he is earning is not enough to feed his family. But Muhammad tells himself that this work is more honorable than the ones he did before. And he keeps on clinging to the hope that he will find a better chance to be able to live a nice and good life with his wife and children.

بيمْرَق شهر، ومْحمّد عم يِشْتغِل ومبْسوط. والعالم عم تْزيد عِنْدو وصار الشّغِل أحْسن بكْتير. بسّ المُفاجأة يَلّي ما كان مْحمّد متْوَقّعْها هِيّ لمّا بْتِجي دَوْريةْ شرْطة لعِنْدو وبيقلّو الشّرْطي إنّو لازم يْشيل الكِشك لأنّو مْخالِف للقانون. الدّني بِتْصير سَوْدا عِنْد مْحمّد.

وبيصير يِتْسائل بَيْنو وبين حالو:

معْقول بعد كِلّ هالتّعب هيْك يصير فيني؟ معْقول مكْتوب عْليّي ضلّ فقير ما معي مصاري؟

معْقول أنا غلط ؟ يمْكِن أنا لازم غيّر طريقةْ حَياتي وصير مِتِل باقي العالم.

طيّب أنا ويْن الغلط يَلّي عْملْتو؟ بسّ لأنّو ما بِقْبل بالكذِب والغِشّ الكِلّ بدّو يظْلِمْني؟

شكِلْها هالدّني ما بْتِحْترِم إلّا الكذّاب والظّالم.

الشّرْطة تركِت كِلّ الظّالْمين وما شافِت غَيْري، الله ينْتِقِم مْن الظّالِم.

وهيْك بيرْجع مْحمّد لنِقْطةْ الصِّفِر، بلا شِغِل ومْعصّب ومقْهور مِن يَلّي صار معو. هَيْدي الفترْة بْتِستمِرّ، بلا أمل وَلا مِستقْبل. مْحمّد بيصير يْفكّر كْتير بْطريقة يْعيش فيها بْكرامِة وبلا كِذِب وغِشّ.

A month passes, and Muhammad is working and happy. More people are coming to the kiosk, and the work has become much better. But the surprise that Muhammad had not expected is when a police patrol came to him, and the policeman tells him that he has to remove the kiosk because it is against the law. The world becomes dark for Muhammad.

He wonders to himself:

Is it possible, after all this effort, that this happens to me? Is it possible that I am destined to remain poor and not have money?

Is it possible that I am wrong? Maybe I have to change my way of life and be like the rest of the world.

Well, but what is it that I did wrong? So just because I don't agree to lie and deceive, everyone wants to wrong me?

It seems this world respects only the liar and the unjust.

The police have overlooked all the unjust and just saw my fault. May God take revenge on the unjust.

And this is how Muhammad returns to the point of zero–without work, annoyed, and oppressed from what had happened with him. This period continues, with no hope or future. Muhammad starts thinking a lot about the way he lives with dignity and without lying and deceit. ...

العالم كِلْهُم واقْفين ضِدّو، حتّى مرْتو. الكِلّ بدْهُم ياه يْعيش مِتِل باقي النّاس. الكِلّ بدْهُم ياه يْغيرّ طريقة تِفْكيرو. بِدْهُم ياه يْصير كِذّاب ومِحْتال.

مْحمّد بيحاوِل يْضلّ صامِد بِوَجْه كِلّ النّاس. ما بِدّو يِخْسر كرامْتو وكرامِةْ عَيْلْتو. لأنّو عارِف إنّو بالمِسْتقْبل رح يِجي يوْم مِتِل ما ظلم إنْسان حَيِنْظلم هُوّ وعَيْلْتو.

مْحمّد عِنْدو رفْقاةْ بيحِبْهُم كْتير. بْيِلْتقوا كِلّ يوْم بِالقهْوِة وبيتْحدّثوا عن مشاكِلْهُم. هيْك العادِة بْطرابْلُس، شِغِل بِالنّهار وبِالقهْوِة بِاللّيْل. على قِلّةْ الشّغِل كِلّ الشّباب بِتْحاوِل تِفْتح قهْوِة. وطبْعاً القهْوِة بْطرابْلُس بْتِخْتِلف كْلّيّاً عن غَيْرْها بْأماكِن تانْيِة. القهْوِة بْطرابْلُس بْقلِبْها أرْجيلِة ومشْروبات كْتير وبسْكْويت. هِيّ عِبارة عن محلّ صْغير وقديم ومفْتوح، حتّى مِن دون باب للدُّخول. بْيِجي عْلَيْها شباب فقط، ودائماً الصّوْت عالي بِالقهْوِة. مُمْكِن تْكون أغاني أَوْ أغْلب الأحْيان بيكون صوْت الشّباب يَلّي قاعْدين.

The whole world is standing against him, even his wife. Everyone wants him to live like the rest of people. Everyone wants him to change his way of thinking. They want him to become a liar and a cheat.

Muhammad tries to remain steadfast in the face of everyone. He does not want to lose his dignity and the dignity of his family because he knows that in the future, there will come a day, just as he wronged someone, he and his family will be wronged in the same way.

Muhammad has many friends who he loves a lot. They meet every day at a coffee shop and talk about their problems. This is the custom in Tripoli–work during the day and coffee shop at night. Due to the lack of work, all young people try to open a coffee shop. But, of course, a coffee shop in Tripoli is completely different from others in other places. The coffee shop in Tripoli has hookah and many drinks and biscuits. It is a small shop, old and always open, even without a door to enter. Only young people go there, and it is always noisy. It might be the music or, most of the time, it is the voices of the guys sitting [there].

بيقرِّر مْحمّد يِسْتأْجر محلّ صْغير ويْقدِّم فيهْ أرْجيلِة وقهْوِة وشاي، لأنّو نِسْبِة العاطْلين عن العمل بِالمدينِة كْتيركْبير. الشّباب ما عِنْدها شي تعِمْلو غيْر إنّو تِنْزل على القهْوِة ويِجْتِمْعو على طاوْلات مِن أرْبع أشْخاص ويِلْعبو وَرق أَوْ إنّو يْقْعدوا يِشْربوا أرْجيلِة ويِتْحدّثوا.

بيحاوِل مْحمّد يْجيب كِلّ شي بْيِلْزمو لحتّى يِفْتح القهْوِة. وبعِد كم يوْم بْيِفْتح مْحمّد القهْوِة وبيبلِّش شِغِل.

نور، رفيقو لمْحمّد بْيِجي لعِنْدو على القهْوِة وبيقِلّو: "هالمرّة إذا ما زبْطِت معك ومِشي حالك بِتْكون إنْسان منْحوس، ما في شكّ."

"إذا ما مِشي الحال معْناها الدِّني كْتير تْغيّرِت والعالم صارِت كْتير بلا إحْساس وَلا ضمير. الكِلّ بِدّو مصْلِحْتو الشّخْصية والفقير بسّ هُوِّ يَلّي بْتوقع المصيبِة عْليْه."

"إنْتَ المشِكْلِة عقلك صعْب. ما بْتِقْبل تِشْتِغِل إلّا مِتِل ما بِدّك. الدِّني أحْيان ما بْتِعْطيك شو ما بِدّك. لازِم تِرْضى بِكِلّ شِغِل بْيِجيك وتِنْسى هالأفْكار يَلّي ما بِتْجِبْلك إلّا وَجع الرّاس."

"بِالمِسْتقْبل رح تْشوف إنّو قدّ ما الواحِد مِرق بمْصايِب، إذا كان عِنْدو كرامِة وما بْيِظْلُم حدا، رح يْلاقي نتيجِة. وبُكْرا لقِدّام بْذكُّرك بْهالحكي."

Muhammad decided to rent a small shop and offer hookahs, coffee, and tea there because the proportion of unemployed people in the city is very high. Young people don't have anything to do except going to the coffee shop and meet up at tables of four people and play cards or just sit to drink hookah and talk.

Muhammad tries to bring everything he needs to open the coffee shop. And after few days, Muhammad opens the coffee shop and starts working.

Nour, a friend of Muhammad, comes over to the coffee shop and tells him, "This time, if it doesn't go well with you and your situation improves, then you are definitely an unlucky person, no doubt."

"If my situation does not improve, it means the world had changed a lot, and the world has really become without feeling or conscience. Everyone wants their personal interest, and only the poor person is the one who gets the misfortune on him."

"Your problem is that you are stubborn. You don't agree to do any work unless it suits you. The world sometimes does not give you what you want. You must accept every job that comes your way and forget about these thoughts that give you nothing but headache."

"In the future, you will see that no matter how many times someone is affected by misfortunes, if he has dignity and does not wrong anyone, he will see the results. And I will remind you of these words in the future."

"طيِّب يَلّا اعْمَل أرجيلِة! خلّينا نِنْبِسِط شْوَيّ بلا وَجع راس."

وعلى هالحالِة بيكمِّل مْحمّد عيشْتو. على أمل يِتْحسّن وَضْعو. على أمل إنّو يِقْدُر بِالنِّهايِة يْجيب أَلْعاب لَوْلادو. على أمل يِقْدر يْجيب تْياب جْديدِة لمرْتو. على أمل يْنام ويْفيق يْلاقي إنْسان صادِق بْهالحَياةْ الغيرْ جيِّدِة.

طْرابْلُس، المدينِة المِنْسية بْلِبْنان، يَلّي بْقلِبْها كْتير شباب مِتْل مْحمّد، شباب جاهْزين يِعِمْلوا كِلّ شي لحتّى يْعيشوا وياكْلوا ويِشْربوا. هَيْدي المدينِة الحِلْوِة ويَلّي كِلْها حركِة ونشاط. بسّ بْنفْس الوَقِت بْقلِبْها كْتير وَجع وقِصص أحْزان ما بْتِنْتِهي. ما في شي سيِّئ إلّا وصار بْهالمدينِة. اِحْتِلال، جوع، نِسْبِةْ مِتْعلّْمين قليلِة، نسْبِةْ عالم مريضة عالْيِة، أبْنِيِة قديمِة ، طِرْقات صعْب المُرور عْلَيْها، تلوُّث وكْتير شغْلات سيِّئة.

بسّ شباب وأهْل طرابْلُس رِغِم كِلّ شي بيحاوْلوا كِلّ يوْم يِعِمْلوا تِغْيير. بيحاوْلوا كِلّ يوْم يْكون عِنْدْهُم أمل، بيحاوْلوا يِعِمْلوا شي مِن وَلا شي.

مْحمّد، مِتْلو مِتِل باقي الشّباب بْطرابْلُس. عِنْدو أمل يْلاقي يَلّي بِدّو ياه. عِنْدو أمل يْغيرِّ حَياتو ويْعيش حَياة سعيدِة رِغِم كِلّ الحِزِن والتّعب يَلّي عِنْدو ياه بْقلْبو.

"Okay, prepare a hookah. Let's relax. Enough with the worry."

Muhammad keeps on living his life this way, hoping that his condition will improve, hoping that he will be able to buy some toys for his children, hoping that he could buy new clothes for his wife, hoping that he goes to sleep and wakes up to meet an honest person in this bad life.

Tripoli, the forgotten city in Lebanon, has many young people like Muhammad, young men who are ready to do anything just to make ends meet. It is an amazing city, full of movement and activity. But at the same time, it has a lot of pain and stories of sadness that never end. There is nothing bad that hasn't happened to this city: Foreign land occupation, hunger, a low rate of education, a high rate of sick people, old buildings, roads that are hard to drive on, pollution, and so many bad things.

But the youth and people of Tripoli, despite everything, try every day to make changes. They try every day to have hope. They try to make something from nothing.

Muhammad, like the rest of young people in Tripoli, has hope that he will find what he wants. He wants to change his life and to live a happy life despite all of the grieve and fatigue that he has in his heart.

بيكمِّل شغِل مْحمّد، بيفيق بكّير قبِل ما يْفيقوا وْلادو. بيروح عَ الشِّغِل، بْيِشْتِغِل نهارو كلّو بْعمِل أرْغيلِة وقهْوِة ونِسْكافِيْه وشاي. وبْيِرْجع مِتْأخّرعَ البيْت لمّا وْلادو بيكونوا ناموا.

حتّى وْلادو ما عم تْصير فُرْصة يْشوفْهُم. الحَياةْ مْمْكِن تْكون صعْبِة كْتير لدرجِةْ ما يِقْدر الأبّ يْشوف وْلادو. الحَياةْ مْمْكِن تْكون صعْبِة لدرجِةْ إنّو تمْنع الشّخِص يْكون عِنْدو حَياةْ شخْصية. مْمْكِن تْكون صعْبِة لدرجِةْ تمْنع الإنْسان يْكون حِرّ وبْتاخُد مِنّو كِلّ حْقوقو. هيْك عم يْعيش مْحمّد حَياتو، كِلّ وَقْتو بِالشِّغِل. لحتّى بْيِجي نهار بْيِتِّصِل صاحِب المحلّ يَلّي بْيِشْتِغِل فيه مْحمّد وبيقِلّو إنّو لازِم يْفضّي المحلّ لأنّو في زْبون جْديد حَيِدْفع أكْتر مْن مْحمّد.

كأنّو المِصايِب يَلّي على راس مْحمّد ما بْتِكْفّيه لحتّى تِجي مصيبِة جْديدِة. بْيِحْمُل غْراضو مْحمّد وبيفضّي المحلّ. بْيِعْطي المِفاتيح لصاحِب المحلّ وبْيِرْجع عَ بَيْتو زعْلان مصْدوم مِن يَلّي عم يْصير معو. كِلّ ما يْفكِّر إنّو الدِّني ضِحْكِتْلو، بْيِرْجع بْيِخْسر كِلّ شي. بيوَصِّل على بَيْتو ومرْتو كالعادِة صارِت بْتِفْهم شو صار مِن غيْر ما حتّى تِسْأل.

Muhammad carries on working. He wakes up before his children do. He goes to work. He works all day making hookahs, coffee, Nescafé, and tea. He comes back home late when his children have already gone to sleep.

He doesn't even have the opportunity to see his children. Life could be so difficult that a father cannot see his children. Life could be so difficult that it prevents a person from having a personal life. It could be difficult enough to prevent a person from being free and takes from him all his rights. This is how Muhammad is living, spending all his time at work until the shop's landlord that Muhammad runs called him one day and told him that he has to take his stuff out of the shop and leave because he has a new tenant that will pay more than Muhammad.

As if the problems that Muhammad is facing are not enough, a new problem arises. Muhammad takes his stuff, clears out the shop, and leaves. He gives the key to the shop's landlord and goes back to his house, sad and shocked from what is happening to him. Every time that he thinks his life has changed for the better, he again loses everything. He gets home, and his wife, as usual, understands what has happened without even asking.

"أكيد تْركْت المحلّ، صحّ يا مْحمّد؟ شو صار هالمرّة ؟ ممْنوع نْعيش شْوَيّ بِهالدِّني مِتِل باقي هالنّاس؟ مكْتوب عْلَيْنا نْضلّ عايْشين بِالفقِرِ والذِّلّ؟"

"يَلّي فيني مْكفّيني، تْرِكيني إرْتاح شْوَيّ وبعْديْن مْنِحْكي."

"مْحمّد، أنا لمّا تْجوّزْتك كِنْت عَ أساس بِدّك تْعيِّشْني ملِكِة. كِنْت تْقِلّي رح تْجِبْلي كِلّ شي بِدّي ياه وما تْخلّيني إحْتاج حدا. أنا ما بْقِبل وْلادي يْعيشوا بْهالطّريقة."

"لا بقى تْزيديها عْلَيّ. الدِّني كِلّها واقْفِة ضِدّي. بدل ما تْوَقْفي جنْبي عم تِحْكي هالحكي؟"

"أنا ما فيني ضلّ عايْشِة معك بْهالطّريقة. أنا رح آخُد الأوْلاد وروح لعِنْد أهْلي. عَ القليلِة هونيك باكُل وبِشْرب وبْعيش حَياةْ حِلْوِة وأنا مِرْتاحة."

مْحمّد هوْن حسّ إنّو خِسِر كِلّ شي. حتّى مرْتو ووْلادو يَلّي ما عِنْدو غَيْرْهُم بِالدِّني خِسِرْهُم. شو إسّا في شي سيِّئ ما صار. كِلّ شي سيِّئ مُمْكِن يْصير صار. مْحمّد صار مِن دون أمل، مِن دون إحْساس بْفرح وَلا حِزِن. ما في غير إحْساس الوِحْدِة واليَأِس.

"You left the shop, didn't you, Muhammad? What happened this time? Is it forbidden for us to live a little bit like all other people? Is it our destiny to keep on living poor and humiliated?"

"I can't take any more. Let me rest a little, and we'll talk later."

"Muhammad, when I married you, you wanted to make me live like a queen. You would tell me that you were going to give me anything that I want and that you wouldn't leave me in need of anyone. I don't accept that my children live like this."

"Don't make my situation worse. The whole world is standing against me. Instead of you standing by my side, you are saying this?"

"I can't go on living with you this way. I'm going to take the children and go to my parent's house. At least, there, I eat, drink, and lead a nice, comfortable life."

Muhammad, at this point, felt that he had lost everything. Even his wife and children, who mean the world to him, have left. What bad things haven't happened yet? There's nothing bad that could happen that hasn't happened. Muhammad lost hope and any sense of joy or sadness–There was only a sense of loneliness and despair.

وعلى هالحال بيكفّي مْحمّد عيشْتو. لَيوْم مْن الإيّام بيحاوِل رْفيقو لمْحمّد يْطلّعو مْن الحالةِ يَلّي هُوّ فيها. وبْيِعْرُض عْليْه يِنْزْل على البحر يْصيِّد سمك. وهيْك بيبعِّد شْوَيّ عن العالم وبْيِنْسى هْمومو وبيطلّع شْوَيّةْ مصاري.

بيجهِّز حالو مْحمّد وبيجيب صِنّارة وبْيِنْزْل على البحر مع رْفيقو. طبْعاً لازِم يْلاقي محلّ يْوَقّف فيه، لأنّو البحِر فيه كْتير شباب مِتِل حالةْ مْحمّد جرّبوا كِلّ شي بْهالحَياةْ وما ضلّ قِدّامْهُم غيرْ يْجرّْبوا كرم البحر.

بْتُمْرُق إيّام على هالحالةِ ومْحمّد واقِف جنْب البحِر عم يْصيِّد سمك وعم يْبيعْهُم لأوّل شخِص بيوَقِّف سِيّارْتو كِرْمال يِشْتِري السّمك. طبْعاً السِّعِر بْيِخْتلِف بينْ شخِص وشخِص تاني. حتّى بْهالشِّغِل فيه طمع وغِشّ. حتّى بْهالشِّغِل فيه أشْخاص بيحاوْلوا يْحُطّوا سِعِر عالي بِحِجّةْ إنّو السّمك طيِّب وغيرْ شِكِل.

بْيِجي يوْم، يوْم كْتير مْميّز بِالنِّسْبةِ لمْحمّد، يوْم ما رح يِنْساه طول عِمْرو... بْتِوَقِّف سِيّارة جنْب مْحمّد وبْيِسْألو صاحِب السِّيّارة عن سِعْر السّمك:

Muhammad goes on living his life in this condition. One day, a friend of his tries to get Muhammad out of his bad situation. He suggests Muhammad go to the sea to fish. This way, Muhammad can get away a little bit from people, forget his worries, and at the same time, make some money.

Muhammad gets ready, takes a fishing rod, and goes down to the sea with his friend. Of course, he must find a place to stand because there are many guys like Muhammad who tried everything in their lives and had no solution left other than trying what the sea could give them.

Days pass by, and Muhammad is standing beside the sea, fishing and selling the fish to the first person who stops his car to buy them. Of course, the price varies from one person to another. Even in this work, there is greed and deceit. Even in this work, there are people trying to put a high price with the pretext that the fish they are selling are delicious and unique.

One day, a very special day for Muhammad, comes along–a day that he will never forget. A car stops next to Muhammad. The owner of the car asks him about the price of the fish.

"مسا الخيرْ. مْبينّ إنّو السّمك عِنْدك غيرْ شِكِل. قدّيْش بِتْبيعْهُمْ؟"

"يِسْعد مساك. هَيْدوْل السّمْكات عم بيعْهُمْ بْسِعْر السّوق بلا زِيادِةْ وَلا نِقْصان."

"عِنْجدّ عم تِحْكي؟ هَيْدي أوّل مرّة بْشوف شخِص ما بيحاوِل يِعْمُل دِعايِة للسّمك يَلّي معو. إنْتَ أكيد مِن جَوابك أَوْ أنا سْمِعت غلط؟"

"لا يا مْعلِّم، حضِرْتك ما سْمِعت غلط. أنا ما بْغِشّ وما باخُد أكْتر ما بِسْتحِقّ."

"أنا مِنْدِهِش مِن جَوابك. أوّل مرّة بْشوف شخِص صادِق لدرجِةْ إنّو حتّى ما بيغِشّ بِشْوَيِّةْ سمك. سْمعْني، أنا عِنْدي شِرْكة ولازِمْني مْوَظّفين. عَ بْكْرا السّاعة ٨ الصُّبْح تعا عَ الشِّرْكِة كِرْمال وَظّفك. هَيْدا الكرْت تبعي بْقلْبو عُنْوان الشِّرْكِة ورقِم تِلِفوْني. لا تِنْسى. وهلأّ عْطيني السّمك وخوْد هَيْدوْل حقُّهُمْ."

"أنا بِتْشكّرك كْتير يا مْعلِّم. عَ بْكْرا بْتْلاقيني بِالشِّرْكِة عَ الوَقِت."

مْحمّد ما بيصدِّق يَلّي صار. معْقول بعِد كِلّ شي صار، أخيراً إجِت الفُرْصة يَلّي كان ناطِرْها؟

"Good evening. It seems that the fish you're selling are of good quality. How much are you selling them for?"

"Good evening. I am selling the fish at the market price."

"Are you sure? This is the first time I've met someone not trying to do a sales pitch for the fish he has. Are you sure of your answer, or did I hear wrong?"

"No, sir. You didn't hear wrong. I don't cheat or take more than I deserve."

"I'm impressed. This is the first time I've seen someone who is so honest that he doesn't even try to deceive over a few fish. Listen, I have a company, and I need employees. Tomorrow morning at eight o'clock, come to the company. I'll give you a job. This is my card. It contains the company's address and my phone number. Don't forget. Now give me the fish, and here's your money."

"Thank you very much. I'll be at the company on time."

Muhammad does not believe what happened. Is it possible that, after all that has happened, finally, the opportunity he was waiting for had come?

ما بيصدِّق مْحمّد أيمْت يِجي المَوْعِد لحتّى يْروح عَ الشِّرْكِة. بينام لَيْلْتو على أمل هالفُرْصة تْكون حقيقية وما تِطْلع مْجرّد خيْبِةْ أمل جْديدِة بْحَياتو.

بيفيق مْحمّد وبيحِسّ بْشُعور غريب لأوّل مرّة بيحِسّو بْحَياتو. وأخيراً لْتقى بْشخِص صادِق وبيحِبّ الصّادْقين. شخِص ما بِدّو مْن مْحمّد يِكْذُب أَوْ يْغِشّ.

بيوَصِّل مْحمّد على الشِّرْكِة قبْل الوَقِت وبْيِنْتِظِر لحتّى يْقابِل المُدير يَلّي لْتقى فيه مْبارِح. وبعْد شْوَيِّةْ وَقِت بْيُدْخُل مْحمّد لعِنْد المُدير، وبْيِطْلُب المدير مْن مْحمّد يِحْكيلو عن حَياتو وشو شْتغل بِالماضي. بْيِحْكيلو مْحمّد شو صار معو بِالماضي. المُدير بْيِنْدِهِش كْتير بْمِحمّد وبيقرِّر يْشغِّلو مْساعْدو الخاصّ بِكِلّ أُمورو.

مْحمّد، وأخيراً بعْد طول اِنْتِظار، بيلاقي الفُرْصة يَلّي كان ناطِرْها مِن زمان. بيبلِّش مْحمّد شِغْلو بْكِلّ فرح وسْرور وحَياتو بْتِتْحسّن بْسِرْعة. بعِد فترْة مِن الشِّغِل، مْحمّد صار عِنْدو بَيْتو الخاصّ وسِيّارة وتْياب جْداد.

بْيوم مْن الإيّام، بْيِطْلُب شخِص بِدّو يِشْتري بضاعة للدّهان مْن الشِّرْكِة مْقابلِةْ مْحمّد مْساعِد المُدير. وكانِت الدّهْشِة كْبيرِة

Muhammad can't wait to go to the company. He sleeps his night hoping that it is a real opportunity, not just a new disappointment in his life.

Muhammad wakes up and feels a strange feeling for the first time. Finally, he met a sincere person who loves sincere people, someone who does not want Muhammad to lie or cheat.

Muhammad arrives at the company ahead of time and waits until he meets the manager. After a while, Muhammad enters the manager's office, and the manager asks Muhammad to tell him about his life and what he did for work in the past. Muhammad tells him what happened with him in the past. The manager is amazed by Muhammad and decides to hire him as his personal assistant for all of his affairs.

Muhammad–finally, after a long wait–finds the opportunity that he has been waiting for a long time. Muhammad starts working with great joy and pleasure, and his life improves rapidly. After spending time at his new job, Muhammad now has his own house, a car, and new clothes.

One day, someone who wants to buy paint supplies from the company asks to meet Muhammad, the assistant director. It was a big surprise...

لمّا هالشّخِص يَلّي دخل عِنْد مْحمّد كان هُوِّ نفسو المْعلِّم تبع الدُّهان يَلّي كان يِشْتغِل عِنْدو مْحمّد. ما بيصدِّق المْعلِّم عْيونو وبيقِلّو لمْحمّد:

"مْحمّد؟! شو عم تعْمُل هوْن؟ أنا عِنْدي مَوْعِد مع مُساعِد المُدير."

"يا أهْلا وسهْلا بِالمْعلِّم، أنا مْحمّد مُساعِد المُدير. شِفِت الدِّني قِدّيْش صْغيرِة يا مْعلِّم. كِنِت قِلّك دايمًا إنّو أنا ما بْغِشّ وَلا بْكذِّب. كِنْت تْقِلّي دايمًا إنّو أنا رح ضلّ فقير. شوف وين أنا اليوْم ووين إنْتَ. البضاعة يَلّي بدّك ياها رح تاخِدْها بْسِعْر السّوق وبِدّك تْجِبْلي وَرْقة مْن الزُّبون مِنْشان يْبيِّن قِدّيْش عاطيك مصاري مِنْشان ما تِقْدر تْغِشّو مِتِل ما كِنْت تْقِلّي إعْمُل. أهْلا وسهْلا فيك، هلّأ عِنْدي شِغِل، إذا سمحْت."

بْيِطْلع المْعلِّم مِن عِنْد مْحمّد مصْدوم ووِجّو لتحِت. كان درْس كْبير وقاسي مِن مْحمّد للمْعلِّم.

بْتِمْرُق الإيّام، ومرّة مْن المرّات، بيدِقّ باب بَيْتو لمْحمّد. بْيِفْتح مْحمّد باب البيْت بيلاقي مْحمّد مرْتو ووْلادو. بْتِقِلّو مرْتو:

"أنا بعْتِذِر يا مْحمّد. أنا ترَكْتك بْوَقِت كِنْت مِحْتاجْني فيه."

"آخ مِن هالزّمن! هلّأ لمّا تْحسّن وَضْعي، صِرْتي بْتِعْتِذْري. وَقِت ما كان معي مصاري ما كِنْت إسْمع مِنِّك غَيْر الصُّراخ. فوتي عَ البيْت. أنا سامحْتِك كِرْمال الأوْلاد بسّ."

when this person who came in was the very boss who Muhammad used to work for in the past. The boss doesn't believe his eyes and tells Muhammad,

"Muhammad?! What are you doing here? I have an appointment with the assistant director."

"Welcome, boss. I am Muhammad, the assistant director. The world is really small, isn't it? I always told you that I don't deceive or lie. You always told me that I would remain a poor man. Look where I am today and where are you. The goods that you want, you will take them at the market price, and you must bring me a paper from the client showing how much he paid you so you can't cheat him the way you used to ask me to do in the past. Welcome, boss. Now, I have some work to do, please."

The boss goes out shocked, with his head down. It was a great and tough lesson from Muhammad to the boss.

The days pass by, and one day, someone knocks at Muhammad's door. Muhammad opens the door to find his wife and children.

His wife tells him, "I apologize, Muhammad. I left you at a time when you needed me."

"What a small world! Now that my condition has improved, you're saying sorry. When I didn't have a lot of money, you would just yell at me all the time. Come in. I forgive you... only for the children."

وأخيراً مْحمّد بيحِسّ إنّو متْحكّم بْحَياتو. الكِلّ صار بدّو رضاه.

بْتِمْرُق الإيّام وحالةْ مْحمّد بْتِتْحسّن أكْتر وأكْتر. بْيُطْلُب شخِص مُقابلةْ مْحمّد بِشغْلو. هَيْدا الشّخِص بدّو مْن مْحمّد يْوَظِّفْلو إبْنو بِالشّرْكِة. كانتِ المُفاجأة لمّا هالشّخِص طِلع صاحِب المحلّ يَلّي كان يِشْتِغِل فيه مْحمّد. بيقِلّو مْحمّد لصاحِب المحلّ:

أهْلا وسهْلا بِالمْعلّم. شايِف الدِّني قدّيْش صْغيرةْ. لمّا كِنْت أنا بْحاجةْ شغِل، طْلبت مِنّي إطْلع مْن المحلّ. وهلّأ جايي بدّك مِنّي وَظِّفْلك إبْنك. بسّ أنا رح كون أحْسن منّك ورح وَظّفو."

مْحمّد بيحِسّ مِتِل كإنّو إجِت الفُرْصة لَيْوَرْجي كِلّ يَلّي ظلموه وحرموه يْعيش حَياتو شو قيمةْ الصِّدِق والأمانةِ بِحَياةْ كِلّ إنْسان. مهْما صار مِن أُمور سيّئة مع مْحمّد، ما تْنازل وما سْتسْلم. لأنّو بْنظر مْحمّد مُمْكِن الإنْسان يِخْسر مصاري، مُمْكِن الإنْسان يِخْسر شِغْلو، بَيْتو، رِفْقاتو، حتّى عَيْلْتو، بسّ ما مُمْكِن يِخْسر حالو وكرامْتو.

بْيِنْزل مْحمّد بْسيّارْتو على البحر، محلّ ما كان يِشْتِغِل مِن زمان، محلّ ما إجيتو فُرْصةِ حَياتو. بيلاقي شخِص واقِف ناطِر شي سِيّارة تْوَقّف كِرْمال يْبيع السّمك.

Finally, Muhammad feels that he is in control of his life. Everyone wants to get his approval.

As the days pass, Muhammad's condition improves more and more. A person asks to meet Muhammad. This person wants Muhammad to employ his son at the company. The surprise was when this person came in. It was the landlord of the shop that Muhammad used to work in.

Muhammad tells him, "Welcome, boss! What a small world! When I needed a job, you asked me to leave the shop, and now you come and want me to hire your son. I'll be better than you and employ him."

Muhammad feels as if he has the opportunity to show everyone who wronged him and forbade him from living his life what the value of honesty and trust in the life of every person is. Despite all the bad things that happened to Muhammad, he did not give up or surrender–because, according to Muhammad's point of view, a person may lose money, may lose his job, his house, his companions, even his family, but he cannot lose his honor and his dignity.

Muhammad gets in his car and drives along the sea, to the place where he used to work before, to the place where he found his life opportunity. He saw a person standing and waiting for a car to pull over so he could sell the fish.

بيوَقِّف مْحمّد وبْيِسْأل: "قدّيْش حقّ السّمك؟"

بيردّ عْليْه الشّخص وبيقلّو: "هَيْدوْل السّمْكات عم بيعْهُم بسِعر السّوق بلا زْيادة وَلا نقْصان."

بْيِبْتِسِم مْحمّد وبْيِعْطي الكرْت تبعو وبيقلّو يِجي على الشِّرْكة عَ بْكْرا السّاعة ٨.

بيكمِّل مْحمّد طريقو بالسِّيّارة. بْيِتْطلّع على السّما وبْيِبْتِسِم. وبيقول: "يَلّي بْيِخْسر حالو، خِسِر كلّ شي. ويَلّي بْيِرْبح حالو، مهْما خِسِر، بيضلّ رِبْحان."

Muhammad pulls over and asks, “How much are the fish?”

The person answers him and says, “I am selling the fish at the market price, no more, no less.”

Muhammad smiles, gives him his card, and tells the person to come to the company by eight o’clock.

Muhammad continues on his way in the car. He looks at the sky and smiles. He says, “He who loses himself loses everything. And he who wins himself, no matter what he loses, still wins.”

Arabic Text without Tashkeel

For a more authentic reading challenge, read the story without the aid of diacritics (tashkeel) and the parallel English translation.

قديش حق السمك؟

محمد، رجال فقير بيتكل على حالو، شاب عمرو ٣٣ سنة من شباب طرابلس، العاصمة الثانية للبنان. هالمدينة يلي على ساحل لبنان، كلها حركة ونشاط، ويلي فيها كتير شباب متل محمد. بيعيشوا كل يوم بيومو، ناطرين فرصة العمر حتى يخلصوا من حياة الذل والفقر.

محمد بيعيش ببيت صغير هو ومرتو وولادو الاتنين. بيشتغل بكل شي، ما ضروري يكون بيفهم بكل شي بيشتغلو، بيتعلم. المهم إنو يشتغل وياخد مصاري ليطعمي ولادو.

"نحنا لأيمت بدنا نضل عايشين هيك يا محمد؟ كل العالم صار عندها بيوت وسيارات ونحنا إساتنا عم نعاني لناكل." مرتو لمحمد بتقلو.

"الله بيعين. إلا ما تفرج وتتحسن أحوالنا. لازم نصبر. هيك الدني، فيها الغني والفقير، المتعلم والجاهل."

"إنت الحق عليك. إجت لعندك كذا فرصة كان فيك تعمل فيها مصاري كتير، بس إنت رفضت."

هيدول الفرص يلي عم تحكي عنهم كانوا كلهم فرص غش وكذب واحتيال، وإنتي بتعرفي إنو أنا ما بغش ولا بكذب لو شو ما صار."

"أي لكان ما رح تتحسن أحوالنا أبدا إذا بدك تضل هيك."

"الله ما بينسانا. إنت بس اصبري. كل شي رح يتحسن."

هيدي هي المحادثة اليومية يلي بتصير بين محمد ومرتو. محمد، يلي شتغل كل شي بحياتو، ناطر فرصة حقيقية يشتغل فيها بكرامة من دون ما يكون مطلوب منو يكذب أو يغش.

محمد شتغل دهان، كان دايما مطلوب منو يشتري علب الدهان ويدهن البيوت. طبعا كان يشتغل متل ما بدو معلمو بالشغل. كان دايما المعلم ياخد مصاري من الزبون، ويبعتو لمحمد يشتري الغراض من السوق ويطلب منو يسرق شوية غراض كرمال يستفيدوا منهم بالمستقبل. محمد طبعا كان يرفض.

لمرة من المرات، المعلم بيعصب من محمد وبيقلو: "إنت لأيمت بدك تضل هيك عم تقطع برزقتنا؟!"

"أنا ما بغش يا معلم، يلي بيغش بدو يجي يوم وحدا يغشو."

"إنت فقير. ما معك تاكل وعم تحكي هالحكي؟ بدك تموت من الجوع إنت ومرتك وولادك شي؟!"

"أنا فقير ما معي كتير مصاري صح هالحكي. بس أنا غني بأخلاقي وبحترم حالي. حتى لو بدي موت من الجوع يا معلم، ما بقبل إشتغل هيك."

"أي لكان خلي أخلاقك واحترامك لحالك ينفعوك. إنت مرفود."

طبعا محمد صار متعود إنو يترك الشغل من ورا هالأسباب. هيدي منها أول مرة.

بيقرر محمد يوم من الإيام إنو يفتح كشك صغير يبيع فيه أكل. لأنو بيعرف إنو إذا بدو يشتغل عند معلم، رح يرجع لنفس المشكلة. مشكلة السرقة والكذب يلي بعمرو ما قبل يعملهم.

بيبلش محمد شغلو وبيفتح الكشك بعد تعب كتير لحتى قدر جمع مصاري. بينزل بيحط الكشك على رصيف تحت بيتو، وبيبلش شغل. لأول مرة بحياتو بيحس إنو عم يشتغل من دون حاجة إنو يكذب أو يغش. بس المصاري يلي عم ياخدهم ما بيكفوا كرمال يطعمي عيلتو. بس محمد بيقول بينو وبين حالو إنو هيدا الشغل

أشرف بكتير من يلي شتغلو قبل. وبيضل متمسك بأمل إنو يلاقي فرصة أحسن من هالشغل لحتى يعيش حياة حلوة وجيدة مع مرتو وولادو.

بيمرق شهر، ومحمد عم يشتغل ومبسوط. والعالم عم تزيد عندو وصار الشغل أحسن بكتير. بس المفاجأة يلي ما كان محمد متوقعها هي لما بتجي دورية شرطة لعندو وبيقلو الشرطي إنو لازم يشيل الكشك لأنو مخالف للقانون. الدني بتصير سودا عند محمد.

وبيصير يتسائل بينو وبين حالو:

معقول بعد كل هالتعب هيك يصير فيني؟ معقول مكتوب علي ضل فقير ما معي مصاري؟

معقول أنا غلط ؟ يمكن أنا لازم غير طريقة حياتي وصير متل باقي العالم.

طيب أنا وين الغلط يلي عملتو؟ بس لأنو ما بقبل بالكذب والغش الكل بدو يظلمني؟

شكلها هالدني ما بتحترم إلا الكذاب والظالم.

الشرطة تركت كل الظالمين وما شافت غيري، الله ينتقم من الظالم.

وهيك بيرجع محمد لنقطة الصفر، بلا شغل ومعصب ومقهور من يلي صار معو. هيدي الفترة بتستمر، بلا أمل ولا مستقبل. محمد بيصير يفكر كتير بطريقة يعيش فيها بكرامة وبلا كذب وغش. العالم كلهم واقفين ضدو، حتى مرتو. الكل بدهم ياه يعيش متل باقي الناس. الكل بدهم ياه يغير طريقة تفكيرو. بدهم ياه يصير كذاب ومحتال.

محمد بيحاول يضل صامد بوجه كل الناس. ما بدو يخسر كرامتو وكرامة عيلتو. لأنو عارف إنو بالمستقبل رح يجي يوم متل ما ظلم إنسان حينظلم هو وعيلتو.

محمد عندو رفقاة بيحبهم كتير. بيلتقوا كل يوم بالقهوة وبيتحدثوا عن مشاكلهم. هيك العادة بطرابلس، شغل بالنهار وبالقهوة بالليل. على قلة الشغل كل الشباب

بتحاول تفتح قهوة. وطبعا القهوة بطرابلس بتختلف كليا عن غيرها بأماكن تانية. القهوة بطرابلس بقلبها أرجيلة ومشروبات كتير وبسكويت. هي عبارة عن محل صغير وقديم ومفتوح، حتى من دون باب للدخول. بيجي عليها شباب فقط، ودائما الصوت عالي بالقهوة. ممكن تكون أغاني أو أغلب الأحيان بيكون صوت الشباب يلي قاعدين.

بيقرر محمد يستأجر محل صغير ويقدم فيه أرجيلة وقهوة وشاي، لأنو نسبة العاطلين عن العمل بالمدينة كتيركبير. الشباب ما عندها شي تعملو غير إنو تنزل على القهوة ويجتمعو على طاولات من أربع أشخاص ويلعبو ورق أو إنو يقعدوا يشربوا أرجيلة ويتحدثوا.

بيحاول محمد يجيب كل شي بيلزمو لحتى يفتح القهوة. وبعد كم يوم بيفتح محمد القهوة وبيبلش شغل.

نور، رفيقو لمحمد بيجي لعندو على القهوة وبيقلو: "هالمرة إذا ما زبطت معك ومشي حالك بتكون إنسان منحوس، ما في شك."

"إذا ما مشي الحال معناها الدني كتير تغيرت والعالم صارت كتير بلا إحساس ولا ضمير. الكل بدو مصلحتو الشخصية والفقير بس هو يلي بتوقع المصيبة عليه."

"إنت المشكلة عقلك صعب. ما بتقبل تشتغل إلا متل ما بدك. الدني أحيان ما بتعطيك شو ما بدك. لازم ترضى بكل شغل بيجيك وتنسى هالأفكار يلي ما بتجبلك إلا وجع الراس."

"بالمستقبل رح تشوف إنو قد ما الواحد مرق بمصايب، إذا كان عندو كرامة وما بيظلم حدا، رح يلاقي نتيجة. وبكرا لقدام بذكرك بهالحكي."

"طيب يلا اعمل أرجيلة! خلينا ننبسط شوي بلا وجع راس."

وعلى هالحالة بيكمل محمد عيشتو. على أمل يتحسن وضعو. على أمل إنو يقدر بالنهاية يجيب ألعاب لولادو. على أمل يقدر يجيب تياب جديدة لمرتو. على أمل ينام ويفيق يلاقي إنسان صادق بهالحياة الغير جيدة.

طرابلس، المدينة المنسية بلبنان، يلي بقلبها كتير شباب متل محمد، شباب جاهزين يعملوا كل شي لحتى يعيشوا وياكلوا ويشربوا. هيدي المدينة الحلوة ويلي كلها حركة ونشاط. بس بنفس الوقت بقلبها كتير وجع وقصص أحزان ما بتنتهي. ما في شي سيئ إلا وصار بهالمدينة. احتلال، جوع، نسبة متعلمين قليلة، نسبة عالم مريضة عالية، أبنية قديمة ، طرقات صعب المرور عليها، تلوث وكتير شغلات سيئة.

بس شباب وأهل طرابلس رغم كل شي بيحاولوا كل يوم يعملوا تغيير. بيحاولوا كل يوم يكون عندهم أمل، بيحاولوا يعملوا شي من ولا شي.

محمد، متلو متل باقي الشباب بطرابلس. عندو أمل يلاقي يلي بدو ياه. عندو أمل يغير حياتو ويعيش حياة سعيدة رغم كل الحزن والتعب يلي عندو ياه بقلبو.

بيكمل شغل محمد، بيفيق بكير قبل ما يفيقوا ولادو. بيروح ع الشغل، بيشتغل نهارو كلو بعمل أرغيلة وقهوة ونسكافيه وشاي. وبيرجع متأخرع البيت لما ولادو بيكونوا ناموا.

حتى ولادو ما عم تصير فرصة يشوفهم. الحياة ممكن تكون صعبة كتير لدرجة ما يقدر الأب يشوف ولادو. الحياة ممكن تكون صعبة لدرجة إنو تمنع الشخص يكون عندو حياة شخصية. ممكن تكون صعبة لدرجة تمنع الإنسان يكون حر وبتاخد منو كل حقوقو. هيك عم يعيش محمد حياتو، كل وقتو بالشغل. لحتى بيجي نهار بيتصل صاحب المحل يلي بيشتغل فيه محمد وبيقلو إنو لازم يفضي المحل لأنو في زبون جديد حيدفع أكتر من محمد.

كأنو المصايب يلي على راس محمد ما بتكفيه لحتى تجي مصيبة جديدة. بيحمل غراضو محمد وبيفضي المحل. بيعطي المفاتيح لصاحب المحل وبيرجع ع بيتو زعلان مصدوم من يلي عم يصير معو. كل ما يفكر إنو الدني ضحكتلو، بيرجع بيخسر كل شي. بيوصل على بيتو ومرتو كالعادة صارت بتفهم شو صار من غير ما حتى تسأل.

"أكيد تركت المحل، صح يا محمد؟ شو صار هالمرة ؟ ممنوع نعيش شوي بهالدني متل باقي هالناس؟ مكتوب علينا نضل عايشين بالفقر والذل؟"

"يلي فيني مكفيني، تركيني إرتاح شوي وبعدين منحكي."

"محمد، أنا لما تجوزتك كنت ع أساس بدك تعيشني ملكة. كنت تقلي رح تجبلي كل شي بدي ياه وما تخليني إحتاج حدا. أنا ما بقبل ولادي يعيشوا بهالطريقة."

"لا بقى تزيديها عليي. الدني كلها واقفة ضدي. بدل ما توقفي جنبي عم تحكي هالحكي؟"

"أنا ما فيني ضل عايشة معك بهالطريقة. أنا رح آخد الأولاد وروح لعند أهلي. ع القليلة هونيك باكل وبشرب وبعيش حياة حلوة وأنا مرتاحة."

محمد هون حس إنو خسر كل شي. حتى مرتو وولادو يلي ما عندو غيرهم بالدني خسرهم. شو إسا في شي سيئ ما صار. كل شي سيئ ممكن يصير صار. محمد صار من دون أمل، من دون إحساس بفرح ولا حزن. ما في غير إحساس الوحدة واليأس.

وعلى هالحال بيكفي محمد عيشتو. ليوم من الإيام بيحاول رفيقو لمحمد يطلعو من الحالة يلي هو فيها. وبيعرض عليه ينزل على البحر يصيد سمك. وهيك بيبعد شوي عن العالم وبينسى همومو وبيطلع شوية مصاري.

بيجهز حالو محمد وبيجيب صنارة وبينزل على البحر مع رفيقو. طبعا لازم يلاقي محل يوقف فيه، لأنو البحر فيه كتير شباب متل حالة محمد جربوا كل شي بهالحياة وما ضل قدامهم غير يجربوا كرم البحر.

بتمرق إيام على هالحالة ومحمد واقف جنب البحر عم يصيد سمك وعم يبيعهم لأول شخص بيوقف سيارتو كرمال يشتري السمك. طبعا السعر بيختلف بين شخص وشخص تاني. حتى بهالشغل فيه طمع وغش. حتى بهالشغل فيه أشخاص بيحاولوا يحطوا سعر عالي بحجة إنو السمك طيب وغير شكل.

بيجي يوم، يوم كتير مميز بالنسبة لمحمد، يوم ما رح ينساه طول عمرو... بتوقف سيارة جنب محمد وبيسألو صاحب السيارة عن سعر السمك:

"مسا الخير. مبين إنو السمك عندك غير شكل. قديش بتبيعهم؟"

"يسعد مساك. هيدول السمكات عم بيعهم بسعر السوق بلا زيادة ولا نقصان."

"عنجد عم تحكي؟ هيدي أول مرة بشوف شخص ما بيحاول يعمل دعاية للسمك يلي معو. إنت أكيد من جوابك أو أنا سمعت غلط؟"

"لا يا معلم، حضرتك ما سمعت غلط. أنا ما بغش وما باخد أكتر ما بستحق."

"أنا مندهش من جوابك. أول مرة بشوف شخص صادق لدرجة إنو حتى ما بيغش بشوية سمك. سمعني، أنا عندي شركة ولازمني موظفين. ع بكرا الساعة ٨ الصبح تعا ع الشركة كرمال وظفك. هيدا الكرت تبعي بقلبو عنوان الشركة ورقم تلفوني. لا تنسى. وهلأ عطيني السمك وخود هيدول حقهم."

"أنا بتشكرك كتير يا معلم. ع بكرا بتلاقيني بالشركة ع الوقت."

محمد ما بيصدق يلي صار. معقول بعد كل شي صار، أخيرا إجت الفرصة يلي كان ناطرها؟

ما بيصدق محمد أيمت يجي الموعد لحتى يروح ع الشركة. بينام ليلتو على أمل هالفرصة تكون حقيقية وما تطلع مجرد خيبة أمل جديدة بحياتو.

بيفيق محمد وبيحس بشعور غريب لأول مرة بيحسو بحياتو. وأخيرا لتقى بشخص صادق وبيحب الصادقين. شخص ما بدو من محمد يكذب أو يغش.

بيوصل محمد على الشركة قبل الوقت وبينتظر لحتى يقابل المدير يلي لتقى فيه مبارح. وبعد شوية وقت بيدخل محمد لعند المدير، وبيطلب المدير من محمد يحكيلو عن حياتو وشو شتغل بالماضي. بيحكيلو محمد شو صار معو بالماضي. المدير بيندهش كتير بمحمد وبيقرر يشغلو مساعدو الخاص بكل أمورو.

محمد، وأخيرا بعد طول انتظار، بيلاقي الفرصة يلي كان ناطرها من زمان. بيبلش محمد شغلو بكل فرح وسرور وحياتو بتتحسن بسرعة. بعد فترة من الشغل، محمد صار عندو بيتو الخاص وسيارة وتياب جداد.

بيوم من الإيام، بيطلب شخص بدو يشتري بضاعة للدهان من الشركة مقابلة محمد مساعد المدير. وكانت الدهشة كبيرة لما هالشخص يلي دخل عند محمد كان هو نفسو المعلم تبع الدهان يلي كان يشتغل عندو محمد. ما بيصدق المعلم عيونو وبيقلو لمحمد:

"محمد؟! شو عم تعمل هون؟ أنا عندي موعد مع مساعد المدير."

"يا أهلا وسهلا بالمعلم، أنا محمد مساعد المدير. شفت الدني قديش صغيرة يا معلم. كنت قلك دايما إنو أنا ما بغش ولا بكذب. كنت تقلي دايما إنو أنا رح ضل فقير. شوف وين أنا اليوم ووين إنت. البضاعة يلي بدك ياها رح تاخدها بسعر السوق وبدك تجبلي ورقة من الزبون منشان يبين قديش عاطيك مصاري منشان ما تقدر تغشو متل ما كنت تقلي إعمل. أهلا وسهلا فيك، هلأ عندي شغل، إذا سمحت."

بيطلع المعلم من عند محمد مصدوم ووجو لتحت. كان درس كبير وقاسي من محمد للمعلم.

بتمرق الإيام، ومرة من المرات، بيدق باب بيتو لمحمد. بيفتح محمد باب البيت بيلاقي محمد مرتو وولادو. بتقلو مرتو:

"أنا بعتذر يا محمد. أنا تركتك بوقت كنت محتاجني فيه."

"آخ من هالزمن! هلأ لما تحسن وضعي، صرتي بتعتذري. وقت ما كان معي مصاري ما كنت إسمع منك غير الصراخ. فوتي ع البيت. أنا سامحتك كرمال الأولاد بس."

وأخيرا محمد بيحس إنو متحكم بحياتو. الكل صار بدو رضاه.

بتمرق الإيام وحالة محمد بتتحسن أكتر وأكتر. بيطلب شخص مقابلة محمد بشغلو. هيدا الشخص بدو من محمد يوظفلو إبنو بالشركة. كانت المفاجأة لما هالشخص طلع صاحب المحل يلي كان يشتغل فيه محمد. بيقلو محمد لصاحب المحل:

أهلا وسهلا بالمعلم. شايف الدني قديش صغيرة. لما كنت أنا بحاجة شغل، طلبت مني إطلع من المحل. وهلأ جايي بدك مني وظفلك إبنك. بس أنا رح كون أحسن منك ورح وظفو."

محمد بيحس متل كإنو إجت الفرصة ليورجي كل يلي ظلموه وحرموه يعيش حياتو شو قيمة الصدق والأمانة بحياة كل إنسان. مهما صار من أمور سيئة مع محمد، ما تنازل وما ستسلم. لأنو بنظر محمد ممكن الإنسان يخسر مصاري، ممكن الإنسان يخسر شغلو، بيتو، رفقاتو، حتى عيلتو، بس ما ممكن يخسر حالو وكرامتو.

بينزل محمد بسيارتو على البحر، محل ما كان يشتغل من زمان، محل ما إجيتو فرصة حياتو. بيلاقي شخص واقف ناطر شي سيارة توقف كرمال يبيع السمك.

بيوقف محمد وبيسأل: "قديش حق السمك؟"

بيرد عليه الشخص وبيقلو: "هيدول السمكات عم بيعهم بسعر السوق بلا زيادة ولا نقصان."

بيبتسم محمد وبيعطي الكرت تبعو وبيقلو يجي على الشركة ع بكرا الساعة ٨.

بيكمل محمد طريقو بالسيارة. بيتطلع على السما وبيبتسم. وبيقول: "يلي بيخسر حالو، خسر كل شي. ويلي بيربح حالو، مهما خسر، بيضل ربحان."

Levantine Arabic Readers Series

www.lingualism.com/lar

Made in the USA
Columbia, SC
05 July 2024